Ich bin
MäuseKatzenBärenStark

Eine Geschichte von
Burny Bos
mit Bildern von
Hans de Beer

Findling Buchverlag Lüneburg

Der junge Mäuserich war klein, aber sein Name war groß: Nebukadnezar!

Seine Mama träumte davon, dass er einmal Großes vollbringen würde wie der berühmte König Nebukadnezar.

Der kleine Mäuserich Nebukadnezar aber träumte davon, ein großer, starker Bär zu sein, wie der Bär in seinem Bilderbuch. Doch seine Mutter sagte dazu nur: »Aus Mäusen werden keine Bären, mein Junge.«

In der Wohnung »Unter-den-Brettern« lebte die große Mäusefamilie in Sicherheit.

Aber in der Wohnung »Über-den-Brettern«, wo Rats, die gefährliche Katze, eingezogen war, gab es keine Sicherheit. Wie ein Tiger bewachte Rats den Eingang zu ihrem Reich.

Einmal hatte Nebukadnezar ihre linke Pfote gesehen. Eine Pfote, zweimal so groß wie er! Und ganz gewaltige Krallen. Nebukadnezar fürchtete sich vor Rats.

Alle in »Unter-den-Brettern« fürchteten sich vor Rats.
Schon bald zogen sie aus. Nur Nebukadnezar und seine
Familie blieben.

Vater Maus fürchtete sich von allen am meisten. Wenn er
nur den Namen der Katze hörte, lief es ihm kalt über den
Rücken, und er zeigte auf seinen Schwanzstummel. Da hatte
Rats zugebissen! Seither traute sich Vater Maus nicht mehr
in die Küche »Über-den-Brettern«.

An einem warmen, sonnigen Tag saß die Mäusefamilie
wieder einmal hungrig am Tisch und wartete aufs Essen.
Aber Mutter Maus kam mit leeren Pfoten aus der Küche.
»Wir haben nichts mehr zu essen«, sagte sie leise.
Vater Maus fühlte sich schuldig und schniefte.
Sofort weinte die ganze Familie, weil Vater weinte.
Nur Nebukadnezar weinte nicht. Er drückte die Augen
so fest zu, dass keine Tränen rauskullern konnten.

Als Nebukadnezar im Bett lag, heckte er einen Plan aus.
Er wartete, bis die ganze Familie schlief. Dann schlich er
zu Mutters Kleiderschrank. Er nahm ihren Pelzmantel
heraus und schnitt ihn in Stücke. Die ganze Nacht nähte
er auf seiner kleinen Mäusepfotennähmaschine. Gegen
Morgen war er fertig.

Er schaute in den Spiegel und dachte stolz: Jetzt bin ich
doch ein Bär! Nebukadnezar fühlte sich stark und mutig
in seinem selbst gemachten Bärenkostüm!

Nebukadnezar huschte an der schlafenden Familie
vorbei und kletterte die Treppe hoch zu dem Loch,
das »Unter-den-Brettern« mit dem Wohnzimmer von
»Über-den-Brettern« verband. Er nahm allen Bärenmut
zusammen und schlüpfte durch das Loch.

Keine Rats war zu sehen! Nebukadnezar atmete auf.
So schnell seine Bärenbeinchen ihn trugen, rannte er
durch das Zimmer zur Küche. Dort stellte er sich wie ein
richtiger Bär auf die Hinterbeine und äugte vorsichtig
hinein – auch da war keine Rats.

Flink kletterte Nebukadnezar auf die Anrichte. Da lag
ein Stück Käse, so groß, dass Nebukadnezar es gar nicht
tragen konnte!

Mit aller Kraft schubste er den Käse hinunter. Es gab
einen lauten Plumps. Er erschrak – aber keine Rats war
zu sehen.

Nebukadnezar hangelte sich an den Schubladen entlang
auf den Boden und schob den Käse Schritt um Schritt
mühsam zum Loch. Aber das Loch war zu klein für den
großen Käse!

Schnell biss Nebukadnezar den Käse in kleine Stücke und schubste sie einzeln durch das Loch. Er war so mit seiner Arbeit beschäftigt, dass er gar nicht merkte, dass Rats hinter ihm stand.

Schon packte sie ihn mit ihren spitzen Zähnen am Bärenkostüm. Stumm vor Schreck legte Nebukadnezar seine Pfötchen auf die Augen und dachte: »Liebe Mama, jetzt werde ich dich nie mehr sehen. Aus einer Maus wird kein Bär!«

Zitternd wartete er darauf, von Rats gefressen zu werden.

Doch Rats dachte gar nicht daran ihn zu fressen. Sie trug ihn zum Korb und legte ihn behutsam zu ihren Kätzchen.

Nebukadnezar blinzelte erst ängstlich von rechts nach links. Dann schloss er beruhigt die Augen und schlief ein.

Am nächsten Morgen entdeckte Nebukadnezars Familie die Käsebrocken. Hungrig, wie alle waren, schlugen sie sich übermütig die Bäuchlein voll.

Mutter Maus schaute zufrieden in die Runde – da erst merkte sie, dass Nebukadnezar fehlte! Erschrocken sprang sie auf und stolperte dabei über das Bärenbilderbuch. Als sie daneben ein paar Stücke von ihrem Pelzmantel sah, erinnerte sie sich an Nebukadnezars Traum!

Und – husch, husch, husch! – schon war Mutter Maus am Eingang zu »Über-den-Brettern«.

Sie spähte hinaus und zog erschrocken den Kopf ein. Da war Rats! Aber dann sah sie drei Kätzchen und einen kleinen Bären hinter Rats hertippeln. Und sie wusste sofort, Nebukadnezar war in Sicherheit, denn Rats hatte ihn angenommen.

Wenn die Katzenmutter schlief, brachte Nebukadnezar
aus der Küche »Über-den-Brettern« seiner Familie in
»Unter-den-Brettern« leckere Brocken. Manchmal blieb er
länger und zeigte den Geschwistern sein Bärenbuch.

Bevor Rats ihn vermisste, verschwand Nebukadnezar
wieder nach »Über-den-Brettern« und tollte mit seinen
Katzengeschwistern herum.

Es war ein abenteuerliches Leben!

Rats aber hatte längst entdeckt, dass Nebukadnezar seiner Familie Futter brachte. Sie ließ ihn gewähren. Selbst als sein Bärenfell völlig durchgescheuert war und seine Katzengeschwister zehnmal so groß waren wie er, fraß sie ihn nicht auf. Sie wusste, er war eine Maus, aber sie hatte ihn lieb gewonnen.

Nebukadnezar war kein Bär geworden, aber er fühlte sich bärenstark.

Und er hatte nun zwei Familien. Er konnte schlafen und spielen, wo immer er wollte. Am häufigsten natürlich bei Mama Maus!

Nach den Regeln der neuen deutschen Rechtschreibung
Lizenzausgabe für Findling Buchverlag Lüneburg GmbH, D-21339 Lüneburg
ISBN 3-937054-53-7

© Hans de Beer, Amsterdam
Alle Rechte, auch die der Bearbeitung oder auszugsweisen Vervielfältigung,
gleich durch welche Medien, vorbehalten
Lithografie: Photolitho AG, Gossau Zürich
Gesetzt in der Futura Book, 16 Punkt
Druck: Proost N.V., Turnhout